Oiriúnach do pháistí ó 8 mbliana go 11 bhliain

© Rialtas na hÉireann 1999

ISBN 1-85791-305-1

Arna chlóbhualadh in Éirinn ag
Criterion Press Teo.

Le ceannach ó: Siopa Fhoilseacháin an Rialtais,
Sráid Theach Laighean, Baile Átha Cliath 2, nó ó
dhíoltóirí leabhar.
Nó tríd an bpost ó:
An Rannóg Postdíola, Foilseacháin an Rialtais,
4-5 Bóthar Fhearchair, Baile Átha Cliath 2.

An Gúm, 44 Sráid Uí Chonaill Uacht., Baile Átha Cliath 1

Páidín
Mháire
Mhuigín

Scéal béaloidis arna
chóiriú ag
Gabriel Rosenstock

Piet Sluis a mhaisigh

G An Gúm
Baile Átha Cliath

Capall, bó ná caora ní raibh ag Máire Mhuigín, talamh ná trá, gort ná garraí. Bhíodh sí ag imeacht ar na comharsana ag iarraidh braon bainne agus is é a bhíodh aici muga beag – muigín. Sin é an fáth ar baisteadh Máire Mhuigín uirthi.

Ní raibh aici ach aon mhac amháin. Is é an t-ainm a thugaidís air ná Páidín Mháire Mhuigín. Bróg ná stoca níor chaith sé riamh, caipín ná hata.

Ag obair ar na bóithre, is mar sin a chaitheadh sé an lá, samhradh agus geimhreadh.

Agus é in aois a thríocha bliain, ar seisean lena mháthair:
'Tá fonn pósta orm, a mháithrín!'
'Dhera,' ar sise, 'cé a phósfadh thú? Fear nár chaith bróg
ná stoca riamh! Fear nár chaith caipín ná hata! Fear nach
raibh riamh ar scoil!'
'Is fíor nach raibh mé riamh ar scoil, a mháithrín, ach
casadh na scoláirí orm. Tá mé in ann a insint duit cá
bhfuil an Astráil.'
'Inis dom mar sin!'
'Ó thuaidh, a Mham. Amach ó chósta Mhaigh Eo,
sin í an Astráil agus deirtear go bhfuil gach aon ní
bunoscionn ann . . .'
'Muise, mo thrua do cheann cipín,' ar sise.

Cé a phósfadh Páidín Mháire Mhuigín, a deir tú? Bhí
scata acu ann a phósfadh é. Níorbh fhada in aon chor
gur phós sé an duine ba bhreátha orthu ar fad, Nóra
Bhán.

Bhí go maith is ní raibh go holc. Ag briseadh na gcloch i rith an lae agus ag comhrá lena ghrá bán istoíche . . .

'An bhfuil a fhios agat cad is búmaraing ann, a stóirín?'

'Níl a fhios, a Pháidín,' arsa Nóra.

'Gheobhaidh mise búmaraing duit lá éigin,' ar seisean.

'Bheadh sé sin go deas – pé rud é féin – ach tá go leor rudaí eile de dhíth orainn, a Pháidín Mháire Mhuigín. Ní bheadh búmaraing ard ar an liosta!'

Lá amháin cé a chuaigh thar bráid ina chóiste ach an
tiarna talún agus a chóisteoir in éineacht leis. Ag bailiú
cíosa a bhí siad. Thit mála an airgid den chóiste!
D'imigh Páidín agus thóg sé é. Thug sé leis abhaile é.

'Oscail é, a Nóra!' arsa Páidín agus sceitimíní air.

'Dia ár sábháil!' arsa Nóra Bhán nuair a chonaic sí an méid airgid a bhí ann.

'Beidh mé in ann an bhúmaraing sin a cheannach duit anois, a Nóra!' arsa Páidín.

'Ná ceannaigh rud ar bith nó tarraingeoidh tú aird ort féin,' arsa Nóra.

Bhí imní uirthi. Bhí a fhios aici dá dtiocfadh an tiarna ag lorg a chuid airgid nach bhféadfadh Páidín an rún a choimeád.

'Níl sé in ann bréag a insint, an fear bocht!' ar sise léi féin.

Bhí plean ag Nóra Bhán.
'Éist liom anois, a Pháidín Mháire Mhuigín, agus éist go géar. Tá tú fada go leor ag briseadh na gcloch.'
'Tá, is dócha . . .'
'Glac mo chomhairlese anois agus téigh ar scoil amárach!'
'S - s- scoil?' arsa Páidín.
'Sea, déanfaidh mé dochtúir díot fós.'
'Dochtúir? Ó, a Nóra Bhán, níl a fhios agam . . .'

Thug sí léi go dtí an scoil é maidin lá arna mhárach.

Lig an máistir isteach iad. Chaith Nóra pingin amach ar an mbord.

'Tabhair leabhar dó,' arsa Nóra.

'Cén gnó a bheadh de leabhar aige sin?' arsa an máistir.

'Bíodh nó ná bíodh,' arsa Nóra, 'tabhair dó é – agus ar chraiceann do chluas ná lig amach é go dtí leathuair tar éis a trí . . .'

Nuair a d'imigh Nóra chuir an máistir an doras faoi ghlas.

Thug an máistir leabhar do Pháidín. Leabhar faoin
Astráil a bhí ann. Bhí pictiúir dheasa ann.
'Ó féach,' arsa Páidín, 'cangarú!'
Thosaigh na páistí go léir ag gáire!

'Ciúnas!' arsa an máistir. Ach nuair a d'iompaigh sé a dhroim chun rud éigin a scríobh ar an gclár dubh, rug páiste greim baithise ar Pháidín agus tharraing sé a ghruaig.

'Abha!' arsa Páidín.
'Ciúnas!' a deir an máistir.

Bhí na páistí go léir ag magadh faoi Pháidín agus ag briseadh a gcroí ag gáire!

'An chéad duine eile a chuirfidh isteach ar Pháidín,' arsa an máistir, 'cuirfidh mé taobh amuigh den doras é!'

'Faraor gan mise taobh amuigh den doras,' arsa Páidín.

Ní raibh an focal as a bhéal nuair a tháinig fear an phoist chuig an doras. Nuair a fuair Páidín an doras oscailte, amach leis!

'Ar son Dé!' arsa an máistir, 'ná lig dó éalú!'
Lean fear an phoist agus an máistir é.

Má lean féin bhí Páidín ag imeacht uathu!
Chaith fear an phoist a mhála de.
Chuaigh Páidín thar chlaí mar a dhéanfadh fia!
Lean an bheirt eile é, riamh is choíche.
Bhí Páidín imithe as radharc.

'A Pháidín!' a bhéic siad. 'A Pháidín! A Pháidín Mháire Mhuigín!'
'Á, ná bac leis!' arsa an máistir. 'Imithe abhaile chuig a bhean atá sé!'
Nuair a tháinig siad ar ais bhí mála fhear an phoist ite ag seanbhó!
'Tá mo phost caillte agam – ó bhó go deo!' arsa fear an phoist.

'Cén mí-ádh a thug ar ais thú?' arsa Nóra Bhán.
'Bíodh ciall agat, a bhean chroí,' arsa Páidín. 'Ar ndóigh ní bheidh mise i mo dhochtúir go brách.'
'Tabhair leat do phiocóid mar sin,' ar sise, 'agus téigh ar ais ag obair ar an mbóthar!'
Bhí Páidín sásta.

Cé a tháinig an bealach ansin ach an tiarna talún agus a chóisteoir.

'Ní fhaca éinne agaibh mála ar an mbóthar?' arsa an cóisteoir.

'Chonaic,' arsa Páidín. 'Fuair mise é.'

'*What is your name?*' arsa an tiarna.

'Páidín Mháire Mhuigín!'

'*What?*' Shíl an tiarna gur ag magadh a bhí sé.

'Cén uair a fuair tú an mála?' arsa an cóisteoir.
'Fan go bhfeicfidh mé. An lá sula ndeachaigh mé ar scoil!' arsa Páidín.
'Cén aois thú?' arsa an cóisteoir.
'Tríocha!' arsa Páidín.
'A leibide!' arsa an cóisteoir agus as go brách leis féin agus leis an tiarna.

Sea, nach an-phlean é sin a bhí ag Nóra Bhán! Bhí a fhios aici go mbeadh tóir ar an airgead. Bhí a fhios aici go n-inseodh Páidín an fhírinne ghlan. Ach bhí a fhios aici chomh maith nach gcreidfeadh aon duine é: fear nár chaith bróg ná stoca riamh, fear a bhí in aois a thríocha bliain agus é fós ag dul ar scoil!